W9-BSD-842

Dirección Editorial: Raquel López Varela
Coordinación Editorial: Ana María García Alonso
Traducción: Esther Sarfatti
Maquetación: Cristina A. Rejas Manzanera
Diseño de cubierta: Darrell Smith
Ilustración: Mª Isabel Nadal Romero

© EDITORIAL EVEREST, S. A.
Carretera León-A Coruña, km 5 - LEÓN
ISBN: 978-84-441-4691-1
Depósito legal: LE. 1164-2011
Printed in Spain - Impreso en España

EDITORIAL EVERGRÁFICAS, S. L.
Carretera León-A Coruña, km 5
LEÓN (España)
Atención al cliente: 902 123 400
www.everest.es

El enano saltarín

 Rumpelstiltskin

El enano saltarín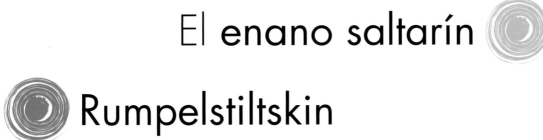

Rumpelstiltskin

Ilustrado por Mª Isabel Nadal Romero

everest

Había una vez un molinero muy pobre que tenía una bella hija.

Un día, el molinero se presentó ante el rey y le dijo:

—Majestad, mi hija, además de bella, posee el don de hilar paja y convertirla en oro.

There was once a very poor miller who had a beautiful daughter.

One day, the miller appeared before the king and said:

"My daughter, Your Majesty, is not only beautiful but she also has the ability to spin straw and turn it into gold."

—¡Un don extraordinario! —reconoció el monarca—. Que venga mañana a palacio y veré si es cierto.

La joven fue llevada ante el rey y este la condujo a una cámara donde había un montón de paja, una silla y una rueca.

"An extraordinary ability!" the king agreed. "Have her come to my palace tomorrow and I'll see if this is true."

The girl was brought before the king, and he led her to a room containing a great pile of hay, a chair and a spinning wheel.

—Si mañana al amanecer no has convertido este montón de paja en oro, morirás —le dijo.

El rey cerró con llave, y la muchacha, que no entendía nada, se echó a llorar: ¿Cómo iba a convertir en oro aquel montón de paja si ni siquiera sabía hilar?

"If tomorrow at dawn you have not turned all this straw into gold, you will die", he said.

The king locked the door, and the girl, who did not understand anything, burst into tears. How could she possibly turn the pile of hay into gold if she did not even know how to spin?

Pero, de pronto, apareció un duendecillo:

—¿Cuál es la razón de tanto llanto?

—¡Ay de mí! —sollozó la muchacha—. Tengo que hilar esta paja en oro antes de que amanezca o moriré.

—¿Qué me darás si la hilo yo antes del amanecer? —le preguntó el duendecillo.

—Mi collar —ofreció ella.

Suddenly, a strange little man appeared. "What's the reason for so much crying?"

"Oh, dear me!" sobbed the girl. "I must spin all this straw into gold before dawn or else I will die."

"What will you give me if I spin it for you before dawn?" the little man asked.

"My necklace," she offered.

El duendecillo aceptó y se sentó ante la rueca. Al amanecer toda la paja la había convertido en oro.

The little man accepted and he sat down at the spinning wheel. By dawn, all the straw had been converted into gold.

Cuando el rey bajó a la cámara y vio el oro, se quedó boquiabierto. Pero la codicia pudo más que él, así que condujo a la hija del molinero a otra cámara en la que había un montón de paja aún mayor.

—Si aprecias tu vida, debes tener hilada en oro toda esta paja antes de la salida del sol —le dijo el rey.

When the king came into the room and saw the gold, he was astonished. But his greed got the better of him, so he took the miller's daughter to another room, where there was an even larger pile of hay.

"If you value your life at all, you will spin all this hay into gold by daylight!" said the king.

De nuevo apareció el duendecillo.

—¿Qué me darás si la hilo yo?

—Mi anillo —contestó ella.

Y el duendecillo empezó a hilar.

Pero el rey ordenó conducir a la muchacha a una sala el doble de grande y repleta de paja.

—Si lo consigues, te convertirás en mi esposa —le dijo esta vez.

The little man appeared once again.

"What will you give me if I spin it for you?"

"My ring," she replied.

And the little man began to spin.

But the king ordered to lead the girl to yet another room, which was twice as big as the others and full of straw.

"If you are able to turn all this straw into gold, I will marry you," he said this time.

Cuando la muchacha se quedó sola, volvió a aparecer el duendecillo por tercera vez y le preguntó:

—¿Qué me darás si la hilo yo antes del amanecer?

—No hay nada más que te pueda dar —le respondió.

—Entonces, prométeme que, cuando seas reina, me darás tu primer hijo.

When the girl was alone in the room, the little man appeared for the third time and asked:

"What will you give me if I spin it for you before dawn?"

"There's nothing left I can give you," she responded.

"Then you must promise me that, when you are the queen, you will give me your firstborn child," said the little man.

La muchacha, que no encontró otra solución si quería seguir con vida, aceptó la propuesta del duendecillo, que comenzó a hilar e hilar hasta transformar el enorme montón de paja en oro.

El rey cumplió su promesa y se casó con ella.

The girl, who saw no other alternative if she wanted to stay alive, accepted the tiny man's offer, who began to spin and spin until he had transformed the enormous piles of straw into gold.

The king kept his promise and married the girl.

Al cabo de un año, la joven dio a luz un hijo. Ya se había olvidado completamente del duendecillo, cuando, de repente, apareció en su aposento:

—La hora de que cumplas lo pactado ha llegado —le dijo.

A year later, the young queen gave birth to a baby boy. She had completely forgotten about the little man when, suddenly, he appeared in her room.

"The time has come for you to honor your promise," he said.

La reina rompió a llorar.

—Los tesoros de este reino son más valiosos que mi hijo —dijo.

The queen began to cry.

"All the riches in the kingdom are more valuable than my child!" she said.

Lloró amargamente hasta que al fin el duendecillo se compadeció de ella.

—Si averiguas cómo me llamo, olvidaré lo pactado. Te doy de plazo tres días —le dijo.

The queen sobbed bitter tears until at last the little man felt sorry for her.

"If you are able to guess my name, I'll forget about our pact. I'll give you three days," he said.

La reina envió mensajeros para que anotaran todos los nombres que existían en el reino.

Pero a cada nombre que la reina decía, el duendecillo respondía:

—Así no me llamo, así no me llamo.

Poco antes de que los tres días pasaran, uno de los mensajeros le informó:

The queen sent her messengers out to make a list of all the names that existed in the kingdom.

But to each name the queen suggested, the little man responded, "That is not my name! That is not my name!"

Not long before the three days had passed, one of the queen's messengers came to her:

—Majestad, en el bosque he visto una casita con una hoguera, alrededor de la cual un duendecillo saltaba y cantaba:

"¡Soy feliz! ¡Soy feliz!
Nadie adivinará, oh qué pena,
que me llamo ¡Enano Saltarín!".

"Your Majesty, while I was walking through the woods, I saw a little house with a fire lit in front of the door. Next to the fire, a little man was jumping on one leg and singing:

"I'm happy!" "I'm happy".
"Nobody will guess, oh what a shame!,
that Rumpelstiltskin is my name!"

Al tercer día, cuando el duendecillo se presentó para llevarse al niño, la reina le dio largas:

—¿Te llamas Maturino?

—¡Por supuesto que no!

—¿Acaso Filiberto?

—¡Ni por casualidad!

On the third day, when the little man came to take the baby away, the queen put him off.

"Is your name Maturino?"

"Of course not!"

"Is your name Filiberto?"

"Not at all!"

—Entonces seguro, seguro que te llamas… ¡Enano Saltarín!

—¡No puede ser! ¿Quién lo ha revelado? —exclamó el duendecillo, no creyendo a sus oídos. Y se marchó saltando, furioso, sobre un pie.

"Then surely your name is… Rumpelstiltskin!"

"It can't be! Who told you so?" exclaimed the little man, not believing his ears. And he ran away, jumping furiously on one foot.

Y así la joven que se convirtió en reina vivió feliz con su esposo y su hijo para siempre.

And so the girl who became queen lived happily ever after with her husband and child.